À Garance et Prune

bouchéesgourmandes

Thierry Roussillon
Photographies Akiko Ida

• MARABOUT CÔTÉ CUISINE •

> sommaire

passez prendre l'apéro... un soir

Il y a quelques semaines,

après un cocktail chez les B…, et quelques verres d'un bon champagne millésimé, vous vous êtes naïvement engagé à leur rendre l'invitation. Le problème, c'est que votre amie Laure cuisine divinement bien, et que sa réputation de cordon bleu est effrayante, un peu comme s'il s'agissait d'inviter Alain Ducasse à la maison. Bien sûr, l'amitié n'est pas juste affaire de bons petits plats, mais quand même, rien n'est plus triste qu'un apéritif ou un cocktail autour d'une fin de paquet de cacahuètes.

Rien n'est plus ennuyeux que ces « mélanges apéritifs » qu'on grignote, faute de mieux, sans savoir exactement ce qu'on mange.

Les solutions

> Passer chez le traiteur et « bluffer » tout le monde avec de petits amuse-bouches… Ne rêvez pas, vous serez vite démasqué !

> Annuler l'invitation : pas très courageux !

> Passer à l'action : c'est possible avec quelques idées et un peu de temps.

changez des cacahuètes

1 N'hésitez plus à transformer un simple apéritif en un apéritif « dînatoire », plus léger en réalisation et en calories qu'un dîner (ambiance décontracte assurée !).

2 Choisissez 4 ou 5 bouchées différentes que vous aurez vite fait de préparer un peu avant que les invités n'arrivent. Vous n'aurez la plupart du temps qu'à réchauffer ou à sortir du réfrigérateur les canapés le moment venu.

3 Les canapés, chaussons, tartelettes et autres feuilletés mélangent plusieurs cultures gastronomiques, mais pas de panique ! Tous ces produits sont disponibles en grande surface : pain pita, feuilles de brik, houmous, nuoc mam, pesto, lait de coco ou noix de coco râpée. Une petite visite approfondie de votre magasin préféré s'impose…

4 Les épices, les aromates et condiments donnent tout le piment de ces recettes et devraient faire partie de vos placards ; origan, curry, basilic, pavot, graines de sésame, paprika…

5 Les produits les plus savoureux sont bien souvent les plus simples. Pour les canapés, choisissez un bon pain, vous pouvez même en profiter pour découvrir les pains spéciaux des boulangers : pain aux noix, à l'ancienne, ciabatta, pain aux figues, baguette au pavot…

6 Certaines de ces recettes n'ont besoin que de quelques minutes de préparation, d'autres un peu plus. Mais une chose est sûre, toutes peuvent être préparées à l'avance.

7 N'oubliez pas que les enfants ont parfois des goûts difficiles, pensez à des bouchées simples ou aux formes rigolotes.

quelques combinaisons appétissantes

bouchées italiennes
canapés au carpaccio de bœuf et à l'origan
triangles de brik à l'italienne
pommes de terre au carpaccio de bœuf
canapés de coppa aux tomates cerises et au parmesan
canapés de tapenade et jambon de parme

bouchées provençales
canapés aux anchois
canapés à l'aïoli
mini-bagnat
feuilletés à la crème d'anchois

bouchées ibériques
canapés au chorizo
empanadas à la viande
empanadas au fromage

bouchées campagnardes
empanadas au roquefort et aux noisettes
pommes de terre au jambon cru et au fromage
pain surprise
mini-tartes à la fourme de Montbrison et aux poires

bouchées orientales
mini-pitas au caviar d'aubergine et à la feta
mini-brochettes d'agneau au gingembre
falafels

bouchées de la mer
canapés de carpaccio de thon au basilic
moules à la menthe
coquilles Saint-Jacques au basilic
mini-tartes aux Saint-Jacques
mini-brochettes de Saint-Jacques au bacon
mini-brochettes de gambas au tabasco

bouchées tex-mex
rondelles de carotte au guacamole
chips de maïs et sauce au bleu
chips de maïs et guacamole
chips de maïs et sauce au cottage-cheese

bouchées végétariennes
concombre et sauce forte, moutarde-curry
têtes de choux en sauce tartare
tomates-cerises farcies à la feta
mini-tartes à la tomate, au chèvre frais et à la menthe
endives au bleu

bouchées exotiques
sushis
mini-brochettes de magret à l'exotique
mini-brochettes de porc à l'aigre douce
mini-brochettes de poulet sauce saté

bouchées pour les enfants
mini-sandwichs
torsades
escargots
empanadas

Au chorizo

8 canapés
10 min de préparation
5 min de cuisson

1/2 baguette
8 fines tranches de chorizo
8 fines tranches d'ossau-iraty
huile d'olive
1 gousse d'ail
poivre

› POUR GAGNER DU TEMPS

Découpez 8 canapés dans la
baguette. Frottez-les d'ail puis
imbibez-les de quelques gouttes
d'huile d'olive. Faites suer légèrement
les rondelles de chorizo dans une
poêle à revêtement antiadhésif,
sur feu doux et sans matière grasse.
Garnissez les morceaux de pain d'une
tranche de fromage,
puis d'une rondelle de chorizo.

› AU DERNIER MOMENT

Déposez les canapés sur la plaque du
four recouverte de papier
sulfurisé, puis mettez au four
à 210 °C (th. 7) pendant quelques
minutes jusqu'à ce que le fromage
commence à fondre. Servez chaud,
après avoir donné un tour de moulin
à poivre.

Suggestion
Vous pouvez remplacer l'ossau-iraty
par un fromage de type cantal
ou comté.

À la coppa, aux tomates cerises et au parmesan

8 canapés
10 min de préparation

1/2 baguette
8 petites tranches de coppa
4 tomates cerises
8 copeaux de parmesan
huile d'olive
1 gousse d'ail
sel, poivre

› À L'AVANCE

Découpez 8 canapés d'1 cm
d'épaisseur dans la baguette.
Faites-les toaster dans un grille-pain
puis frottez-les avec une gousse
d'ail pelée.
Découpez en deux les tomates
cerises. Recouvrez chaque canapé
d'une tranche de coppa, d'un copeau
de parmesan et d'une moitié de
tomate cerise. Rectifiez
l'assaisonnement.
Servez immédiatement.

› POUR LES SERVIR PLUS TARD

Couvrez-les d'un film alimentaire
et réservez-les au réfrigérateur
avant de les présenter aux invités.

Suggestion
Pour découper des copeaux
de parmesan, « épluchez »
le fromage à l'aide d'un économe.

u jambon de Parme
t à la tapenade

{ 8 canapés
10 min de préparation

1/2 baguette
1 petit pot de tapenade
2 tranches de jambon de Parme
8 feuilles de basilic
huile d'olive
1 gousse d'ail
sel, poivre

❯ SI VOUS ÊTES PRESSÉ

Préparez le pain comme pour
les deux canapés précédents.

❯ LORSQUE VOUS AVEZ DU TEMPS

Faites griller les tranches de pain
au four 4 à 5 minutes, après les avoir
frottées d'ail et après avoir versé
dessus quelques gouttes d'huile
d'olive.

❯ UN PEU AVANT DE SERVIR

Découpez 8 lanières de jambon
de Parme. Tartinez les canapés
de tapenade. Recouvrez la tapenade
de lanières de Parme, ajoutez une
feuille de basilic frais. Assaisonnez.
Si vous ne les servez pas tout de
suite, couvrez-les d'un film alimentaire
et conservez-les au réfrigérateur
en attendant le moment de les servir
aux convives.

Suggestion
Remplacez le jambon de Parme
par un autre type de jambon cru.

Au carpaccio de bœuf et à l'origan

{ 8 canapés
10 min de préparation

1/2 baguette
8 petites tranches de carpaccio
de bœuf marinées
origan séché
huile d'olive
1 gousse d'ail
sel, poivre

⟩ LES PRÉPARATIFS

Découpez 8 canapés dans la 1/2 baguette.
Faites-les toaster dans un grille-pain, frottez-les
d'ail et imbibez-les de quelques gouttes
d'huile d'olive.
Égouttez le carpaccio. Déposez, sur chacun
des canapés, une tranche de carpaccio
de bœuf, saupoudrez d'origan et assaisonnez.

⟩ POUR LES SERVIR PLUS TARD

Conservez les canapés au réfrigérateur
et sortez-les quelques minutes avant de
les présenter.

Suggestion
Vous pouvez remplacer l'origan par du basilic.
Le carpaccio de bœuf se trouve tout prêt dans
les grandes surfaces ou bien chez le traiteur.

Au carpaccio de thon et au basilic

{ 8 canapés
1 h de marinade
10 min de préparation

1/2 baguette
8 tranches de thon ultra-fines
1 branche de basilic
jus de citron
huile d'olive
1 gousse d'ail
sel, poivre

⟩ UNE HEURE AVANT

Dans une assiette creuse, déposez les
tranches de thon et versez l'huile d'olive.
Assaisonnez et ajoutez quelques gouttes
de jus de citron, du basilic ciselé et des baies
roses concassées. Faites mariner pendant
1 heure environ.

⟩ AU DERNIER MOMENT

Découpez 8 canapés et faites-les toaster.
Égouttez les tranches de thon et déposez-les
sur les canapés. Décorez chacun d'eux
de baies roses. Rectifiez l'assaisonnement.

⟩ EN ATTENDANT DE LES SERVIR

Conservez les canapés au réfrigérateur
en attendant l'arrivée des invités.

Suggestion
Essayez aussi avec du carpaccio de saumon.

À l'aïoli

8 canapés
25 min de préparation

Aïoli
6 gousses d'ail
1 jaune d'œuf
40 cl d'huile d'olive
1 filet de jus de citron

1/2 baguette
4 tomates cerises
8 rondelles de concombre
sel, poivre

› À L'AVANCE

Préparez l'aïoli : pelez les gousses d'ail.
Dans un mortier, pilez-les
et placez-les dans un saladier.
Ajoutez le jaune d'œuf, salez, poivrez,
incorporez 40 cl d'huile d'olive petit
à petit, puis terminez par un filet
de jus de citron. Si vous trouvez l'aïoli
trop épais, ajoutez une à deux
cuillères d'eau tiède.

› JUSTE AVANT DE SERVIR

Découpez les canapés dans la moitié
de baguette. Faites-les toaster, puis
nappez-les d'aïoli et recouvrez-les
d'une rondelle de concombre
et de tranches de tomates cerises.

Suggestion
S'il vous reste de l'aïoli, présentez-le
avec des bâtonnets de légumes
croquants (carotte, concombre,
chou-fleur...).

Au pesto et aux anchois

8 canapés
10 min de préparation
5 min de cuisson

1/2 baguette
1 petit bocal de pesto
8 anchois dessalés
huile d'olive
1 gousse d'ail
poivre

› À L'AVANCE

Découpez dans la moitié
de baguette, 8 canapés. Déposez le
morceaux de pain sur la plaque du
four et passez-les sous le gril.
Ne faites toaster qu'une seule face
Frottez-les d'ail. Tartinez les canapé
de pesto, n'ayez pas la main trop
lourde.
Sur le dessus, déposez un anchois
dessalé. Donnez un tour de moulir
à poivre avant de mettre au four.

› AU DERNIER MOMENT

Déposez les canapés sur la plaque
four recouverte de papier sulfurise
puis enfournez à 210 °C (th. 7)
pendant 5 minutes.
Servez tiède, lorsque les canapés
sont un peu desséchés.

Suggestion
Vous pouvez remplacer l'anchois
entier par de l'anchois émietté pou
un goût un peu moins fort.

À la crème de gorgonzola et aux noix

8 canapés
10 min de préparation

1/2 baguette
30 g de gorgonzola
20 g de mascarpone
4 petits cerneaux de noix
sel, poivre

> LES PRÉPARATIFS

Dans une assiette creuse, travaillez
à la fourchette le gorgonzola et
le mascarpone. Ajoutez les noix
concassées au mélange.
Rectifiez l'assaisonnement.

> CONFECTION

Découpez les canapés dans
la baguette. Faites-les toaster et
garnissez-les de crème de gorgonzola
et de cerneaux de noix.

> EN ATTENDANT LES INVITÉS

Conservez les canapés au
réfrigérateur en attendant le moment
de les présenter aux convives.

Suggestion
Vous pouvez remplacer le
mascarpone par de la crème fraîche
épaisse et le gorgonzola par un autre
fromage de type « bleu ».

Aux moules

{
18 pizzas environ
20 min de préparation
15 min de cuisson
}

12 grosses moules
1 pâte à pizza étalée prête à l'emploi
1 bocal de coulis de tomates
1 cuillère à soupe d'huile d'olive
1/2 gousse d'ail
sel, poivre
un peu d'origan
quelques copeaux de parmesan

⟩ Ce que vous pouvez faire avant

Nettoyez les moules. Pour les faire cuire, déposez-les dans une casserole à feu doux et couvrez. Retirez du feu lorsque les moules sont ouvertes, laissez un peu refroidir et détachez-les de leur coquille.

Déroulez la pâte à pizza. À l'aide d'un emporte-pièce (ou d'un verre), découpez 18 petits cercles. Déposez-les sur la plaque du four recouverte de papier sulfurisé.

Ajoutez une cuillère à soupe d'huile d'olive au coulis de tomates, une demi-gousse d'ail écrasée, du sel et du poivre pour assaisonner. N'oubliez pas de préchauffer le four à 210 °C (th. 7).

⟩ Tout est prêt

Étalez un peu de coulis de tomate sur les cercles de pâte, saupoudrez d'origan. Déposez sur chacune des pizzas une moule et un copeau de parmesan.

⟩ Sans perdre de temps

Enfournez les pizzas 10 à 15 minutes environ. Si vous ne les servez pas tout de suite, arrêtez leur cuisson plus tôt pour pouvoir les réchauffer plus tard sans qu'elles se dessèchent. Servez chaud.

Suggestion

Pour gagner du temps, achetez des moules en bocal, vous n'aurez qu'à les rincer avant de les utiliser. On trouve aussi facilement un peu partout des moules surgelées décoquillées.

Variantes

Aux champignons

Nettoyez 3 à 4 champignons, retirez les pieds terreux, essuyez-les et émincez-les en fines tranches. Recouvrez les pizzas de coulis, d'une ou deux lamelles de champignon et de mozzarella, saupoudrez de basilic ciselé, salez et poivrez. Des champignons «prêts à l'emploi», surgelés, par exemple, peuvent très bien faire l'affaire.

Au jambon cru

Pour cette variante, remplacez la garniture de moule et de parmesan par du jambon, de préférence un jambon italien de Parme ou de San Daniele. Sur les mini-disques de pâte recouverts de coulis de tomate, déposez une lamelle de jambon, saupoudrez d'origan, salez et poivrez. Enfournez pour 7 minutes environ et servez chaud.

À l'italienne

{ 8 petits chaussons
15 min de préparation
5 min de cuisson

4 feuilles de brik
4 tomates
100 g de mozzarella
2 branches de basilic frais ciselé
huile d'olive
sel, poivre

> ### LES PRÉPARATIFS

Découpez en deux chaque feuille
de brik. Badigeonnez-les d'eau froide,
du bout des doigts. Plongez les
tomates quelques secondes dans
de l'eau en ébullition, rafraîchissez-les
sous l'eau froide pour ôter la peau.
Épépinez-les avant de les concasser.
Coupez en dés la mozzarella.

> ### AU DERNIER MOMENT

Répartissez un peu de tomates
concassées et de dés de mozzarella
sur chaque moitié de feuille de brik.
Ajoutez du basilic ciselé, salez, poivrez
et repliez les feuilles de brik pour que
la garniture ne s'échappe pas.

> ### PORT DU TABLIER OBLIGATOIRE...

Dans de l'huile d'olive très chaude,
faites frire les petits chaussons.
Égouttez-les sur du papier absorbant.
Servez chaud.

Suggestion
Si vous n'avez pas le temps de
préparer les tomates comme il faut,
utilisez une boîte de tomates pelées.
Égouttez-les bien.

Au poulet et aux pruneau

{ 8 petits chaussons
2 h de trempage
10 min de préparation
25 min de cuisson

4 feuilles de brik
1 escalope de poulet
50 g d'amandes effilées
6 pruneaux dénoyautés
1 oignon
2 branches de coriandre
1 sachet de thé à la menthe
huile d'olive
sel, poivre

> ### À L'AVANCE

Faites tremper les pruneaux
dénoyautés dans un bol de thé
à la menthe. Découpez en deux le
feuilles de brik. Badigeonnez-les d'e
froide. Émincez le poulet et l'oigno
en dés. Dorez quelques minutes da
une poêle. Ajoutez les pruneaux,
un peu de thé et la coriandre cisel
Salez, poivrez, couvrez et laissez cu
20 minutes. Dans une autre poêle,
dorez les amandes effilées.

> ### AU DERNIER MOMENT

Sur chaque moitié de brik, dépose
un peu de garniture au poulet
et quelques amandes grillées.
Fermez les chaussons et faites-les
frire dans de l'huile d'olive chaude.
Égouttez. Servez chaud, ou bien
réchauffez au four avant de servir.

Suggestion
Essayez aussi avec des abricots se
à la place des pruneaux.

Au caviar d'aubergine

8 petits chaussons
15 min de préparation
50 min de cuisson

4 feuilles de brik
1 aubergine
120 g de feta
1 citron
cumin en poudre
1 gousse d'ail écrasée
huile de friture
20 cl d'huile d'olive
sel, poivre

› CAVIAR D'AUBERGINE

Si vous avez le temps, faites-le vous-même, c'est très facile. Voir page 16. Sinon, vous en trouverez dans le commerce.

› PRÉPARATIFS

Munissez-vous d'une paire de ciseaux pour découper en deux chacune des feuilles de brik. Assouplissez-les en les badigeonnant d'eau froide, du bout des doigts.
Mélangez le caviar dans un saladier avec la feta, le jus de citron, la gousse d'ail écrasée et le cumin en poudre. Travaillez à la fourchette.

› AU DERNIER MOMENT

Garnissez les moitiés de feuilles de brik de ce mélange. Repliez en forme de chausson et faites-les frire dans de l'huile bien chaude. Retirez lorsque la couleur des chaussons est bien dorée et faites-les égoutter sur du papier absorbant. Servez chaud.

› POUR LES INVITÉS EN RETARD

Passez-les quelques minutes au four chaud avant de servir.

Au caviar d'aubergine

18 pièces
10 min de préparation
30 min de cuisson

18 mini-pitas
1 aubergine
un filet de jus de citron
2 branches de coriandre fraîche
huile d'olive
1 gousse d'ail
sel, poivre

> LORSQUE VOUS AVEZ LE TEMPS...

Préchauffez le four à 180 °C (th. 6).
Nettoyez l'aubergine, coupez-la en deux,
donnez quelques coups de lame dans la chair,
arrosez d'huile d'olive et enveloppez-la d'une
feuille de papier d'aluminium. Enfournez pour
30 minutes environ. Retirez du four et
prélevez la chair à la cuillère.

Dans un saladier, rassemblez la chair
de l'aubergine (le caviar, donc), le jus de
citron, la gousse d'ail écrasée et la coriandre
ciselée. Travaillez à la fourchette. Incorporez
alors de l'huile d'olive petit à petit jusqu'à
ce que la purée d'aubergine en soit largement
imbibée.
Salez, poivrez et farcissez de cette préparation
les mini-pitas. Réservez au réfrigérateur en
attendant de pouvoir les servir.

Suggestion
Si vous n'avez pas le temps de préparer
vous-même le caviar, sachez qu'il en existe
du « tout prêt » dans les grandes surfaces ou
bien dans les épiceries orientales.

Variantes

Au poivron rouge

Préchauffez le four à 180 °C (th. 6). Disposez
les poivrons sur la grille du four, placez en
dessous la lèchefrite pour recueillir le jus de
cuisson. Laissez les poivrons au moins
45 minutes. Surveillez leur cuisson ; lorsque
vous commencez à voir leur peau noircir en
certains endroits, ils sont prêts. Aussitôt sortis
du four, mettez-les dans un sac plastique pour
les faire suer un peu.
Au bout de 10 minutes, ils sont alors plus
faciles à peler, leur peau s'en va en lambeaux.
Dès qu'ils ont un peu refroidi, ouvrez-les pour
ôter graines, peaux blanches et pédoncule.
Passez ensuite la chair recueillie soit au robot,
soit au mixeur-plongeur. Rajoutez un peu
d'huile d'olive, d'ail, de sel et de poivre.
Réfrigérez.

Tatziki

Pelez un demi-concombre. Coupez-le en
deux, salez et faites dégorger une heure.
Rincez, essuyez et râpez le concombre.
Pelez une gousse d'ail et hachez-la.

Dans un saladier, rassemblez le concombre
râpé, 2 yaourts grecs, 1 gousse d'ail pressée,
la menthe ciselée et 2 c. à soupe d'huile
d'olive. Rectifiez l'assaisonnement.

Au fromage

10 petits chaussons
10 min de préparation
15 min de cuisson

1 rouleau de pâte brisée
10 tranches de fromage fondu
pour croque-monsieur
1 jaune d'œuf
graines de pavot
poivre

› À L'AVANCE

Préchauffez le four à 210 °C (th. 7)
Déroulez la pâte. Découpez des ronds de
6 cm de diamètre à l'aide d'un verre ou d'un
emporte-pièce. Déchiquetez les tranches de
fromage fondu en petits morceaux.

› AU DERNIER MOMENT

Garnissez de ces morceaux de fromage
chacun des ronds de pâte. Poivrez.
Refermez les petits chaussons.

Fouettez le jaune d'œuf avec un peu d'eau
et badigeonnez-en les chaussons. Saupoudrez
de graines de pavot.

Déposez les chaussons sur la plaque
du four recouverte de papier sulfurisé
et glissez au four. Faites cuire entre 10 et
15 minutes jusqu'à ce que les chaussons
soient joliment dorés. Servez chaud.

Suggestion
Il est possible d'ajouter à la farce des fruits
secs (raisins secs, abricots secs, noix,
amandes...).

À la viande

10 petits chaussons
20 min de préparation
20 min de cuisson

1 rouleau de pâte brisée
1 oignon
160 g de viande de bœuf hachée
4 gros champignons de Paris
quelques pignons de pin
1 branche de thym
1 jaune d'œuf
graines de sésame
sel, poivre

› PRENEZ DE L'AVANCE

Préchauffez le four à 210 °C (th. 7).
Déroulez la pâte. Découpez des ronds
de 6 cm de diamètre à l'aide d'un verre
ou d'un emporte-pièce.

Pelez et émincez l'oignon. Nettoyez et coupez
en petits morceaux les champignons.

Dans un saladier, rassemblez la viande hachée,
l'oignon émincé, les morceaux de champignon
et les pignons de pin. Ajoutez un peu
de thym, salez, poivrez et mélangez bien.
Poêlez ce mélange quelques minutes pour
cuire la viande.

› AU DERNIER MOMENT

Garnissez de farce chacune des galettes de
pâte brisée. Refermez les petits chaussons.
Fouettez le jaune d'œuf avec un peu d'eau
et badigeonnez-en les chaussons. Saupoudrez
de graines de sésame. Déposez les chaussons
sur la plaque du four recouverte de papier
sulfurisé et glissez-la au four. Faites cuire
pendant 15 minutes jusqu'à ce que
les chaussons soient joliment dorés.
Servez chaud.

Au roquefort
et aux noisettes

12 petits chaussons
15 min de préparation
20 min de cuisson

1 rouleau de pâte brisée
2 douzaines de noisettes concassées
120 g de bleu de Bresse
un peu de crème fraîche
1 œuf
sel, poivre

⟩ N'OUBLIEZ PAS DE...

Préchauffer le four à 210 °C (th. 7).
Déroulez la pâte brisée. Découpez
des ronds d'environ 6 cm de
diamètre avec un verre.

Dans un bol, rassemblez le fromage
et les noisettes concassées.
Travaillez à la fourchette et s'il le faut,
incorporez un peu de crème fraîche
au mélange pour le rendre souple.

⟩ AU DERNIER MOMENT

Garnissez de ce mélange chacun
des ronds de pâte. Assaisonnez.
Refermez les petits chaussons
en appuyant bien avec les doigts.
Fouettez le jaune d'œuf avec un peu
d'eau et badigeonnez-en les
chaussons à l'aide d'un pinceau.
Déposez les chaussons sur la plaque
du four recouverte de papier
sulfurisé et glissez au four. Faites cuire
15 minutes environ. Servez chaud.

Suggestion
Vous pouvez remplacer les noisettes
par des amandes concassées.

À la ratatouille

10 petits chaussons
15 min de préparation
20 min de cuisson

1 rouleau de pâte brisée
250 g de ratatouille cuite
2 c. à soupe de pesto
1 jaune d'œuf
sel, poivre

⟩ À L'AVANCE

Préchauffez le four à 210 °C (th. 7).
Déroulez la pâte. Découpez des
ronds de 6 cm de diamètre à l'aide
d'un emporte-pièce ou d'un verre.
Dans un grand bol, mélangez
la ratatouille et le pesto, puis rectifiez
l'assaisonnement.

⟩ AU DERNIER MOMENT

Garnissez de ce mélange chacun
des disques de pâte brisée. Refermez
les petits chaussons. Fouettez le jaune
d'œuf avec un peu d'eau et
badigeonnez-en les chaussons.
Déposez les chaussons sur la plaque
du four recouverte de papier
sulfurisé et glissez au four. Faites cuire
pendant 15 à 20 minutes environ.
Prolongez la cuisson si nécessaire.
Servez chaud.

Suggestion
Utilisez de préférence un reste
de ratatouille maison, sinon une
ratatouille surgelée ou en boîte.

Au thon

10 petits chaussons
15 min de préparation
20 min de cuisson

1 rouleau de pâte brisée
1 tomate pelée, épépinée et concassée
1 oignon épluché et émincé
1 boîte de thon au naturel
1 jaune d'œuf
sel, poivre

❯ À L'AVANCE

Préchauffez le four à 210 °C (th. 7).
Déroulez la pâte brisée. Découpez
des ronds de 6 cm de diamètre
à l'aide d'un emporte-pièce ou
d'un verre.

Ouvrez la boîte de thon et égouttez.
Dans un saladier, rassemblez le thon,
la tomate pelée et concassée
et l'oignon émincé. Salez, poivrez
et mélangez bien.

❯ AU DERNIER MOMENT

Garnissez de ce mélange chacun
des disques de pâte. Refermez
les petits chaussons.

Fouettez le jaune d'œuf avec
un peu d'eau et badigeonnez-en
les chaussons.

Déposez les chaussons sur la plaque
du four recouverte de papier
sulfurisé et glissez au four. Faites cuire
15 à 20 minutes environ jusqu'à
ce que les chaussons soient joliment
dorés. Servez chaud.

Suggestion

Pour changer, vous pouvez rajouter
à la farce toutes sortes d'ingrédients,
comme du maïs ou du poivron.

Au poulet et à la tomate

24 pièces
10 min de préparation
30 min de cuisson

24 grosses pâtes creuses type *conchiglie*
1 boîte de concentré de tomate
75 g de blanc de poulet émincé
1 oignon pelé et émincé
5 cl de vin blanc sec
1 c. à café rase de bouillon en poudre
huile d'olive
1 gousse d'ail
sel, gros sel, poivre

❭ PRENEZ DE L'AVANCE

Faites chauffer de l'huile d'olive dans une
poêle. Dorez la viande puis ajoutez l'oignon
et l'ail. Remuez bien puis ajoutez le concentré
de tomate. Faites cuire à couvert 10 minutes
environ. Ajoutez alors le vin blanc, le bouillon
en poudre et un petit verre d'eau. Prolongez
la cuisson à feu vif 20 min, jusqu'à évaporation
quasi totale du liquide.

❭ PENDANT QUE ÇA MIJOTE

Faites cuire les pâtes dans une grande
quantité d'eau salée. Elles doivent être *al dente*.

❭ AU DERNIER MOMENT

Il vaut mieux farcir les pâtes juste avant
de les servir. Servez tiède de préférence.

Suggestion
Les grosses pâtes en forme de coquille se
trouvent assez facilement dans les épiceries
italiennes ou les épiceries fines.
Peut-être aurez-vous la chance d'en trouver
des colorées...

Variantes

Au saumon, à la crème fraîche et à l'aneth

Faites revenir avec une noisette
de beurre 75 g de saumon frais,
émiettez-le. Pendant 5 minutes remuez
sans arrêt, puis ajoutez la crème
fraîche et l'aneth ciselé. Salez, poivrez
et prolongez la cuisson à feu moyen
pendant 5 min encore.
Garnissez les pâtes et servez chaud.

Au jambon, aux champignons et à la béchamel

Nettoyez 6 champignons de Paris.
Coupez-les en petits morceaux.
Préparez une béchamel (1 noisette
de beurre, 1 c. à café rase de farine,
1 verre de lait), ajoutez du fromage
râpé (20 g), un peu de muscade
et les morceaux de champignons.
Ajoutez du jambon coupé en
petits bouts.
Garnissez les pâtes cuites *al dente*.

Aux coquilles Saint-Jacques

20 pièces
10 min de préparation
20 min de cuisson

5 galettes de sarrasin
20 noix de Saint-Jacques
4 échalotes hachées
30 cl de vin blanc sec
200 g de crème fraîche
curry
sel, poivre

À L'AVANCE

Vous pouvez préparer ces galettes à l'avance.
Réchauffez-les néanmoins quelques minutes
au four préchauffé avant de servir.
Dans une casserole, rassemblez le vin blanc
et les échalotes. Assaisonnez et faites chauffer.
Pochez les noix de Saint-Jacques pendant
3 minutes Retirez-les, égouttez-les
et escalopez-les en trois dans l'épaisseur.
Ajoutez au vin la crème fraîche et le curry.
Mélangez, faites réduire d'un tiers à feu vif
et retirez la casserole du feu.
Découpez les galettes en 4 bandes.

CONFECTION

Sur chaque bande de galette, disposez les
noix de Saint-Jacques, nappez de sauce et
repliez en portefeuille. Maintenez avec une
pique en bois. Servez chaud.

Suggestion
Hors saison, vous pouvez utiliser
des coquilles Saint-Jacques surgelées.

Variantes

Aux moules

Grattez une quarantaine de moules pour bien
les nettoyer. Mettez-les dans une casserole
avec 50 cl de cidre brut pour les faire s'ouvrir.
Égouttez-les en conservant le jus de cuisson.
Filtrez ce jus et versez-le dans une petite
casserole avec 2 c. à soupe de crème fraîche
et une vingtaine d'échalotes émincées. Faites
réduire la sauce de moitié. Sur chaque bande
de galette, disposez 2 moules, nappez de
sauce et repliez en portefeuille. Maintenez
avec une pique en bois. Servez chaud.

Suggestion
Pour filtrer le jus de cuisson vous pouvez
utiliser un filtre à café.

Aux pommes et au crabe

Épluchez 2 pommes et coupez-les en petits
cubes. Faites revenir ces petits cubes dans
du beurre avec 250 g de chair de crabe
pendant 5 minutes en remuant constamment.
Ajoutez 100 g de crème fraîche et quelques
gouttes de tabasco. Laissez cuire quelques
minutes.
Sur chaque bande de galette, disposez
un peu de garniture et repliez en portefeuille.
Maintenez avec une pique en bois.

Suggestion
Essayez avec d'autres crustacés.

Moules à la menthe

{ 24 pièces
10 min de préparation
25 min de cuisson

24 grosses moules
30 g de beurre
100 g de chapelure
2 bouquets de menthe ciselée
2 c. à soupe d'huile d'olive
1 gousse d'ail
sel, gros sel, poivre

> ### Prenez de l'avance

Préchauffez le four à 210 °C (th. 7).
Lavez les moules et grattez-les bien.
Faites-les s'ouvrir en les déposant
dans une casserole couverte sur feu
moyen. Recouvrez la plaque du four
d'un lit de gros sel et disposez dessus
les moules dans leur coquille.

Faites fondre le beurre dans une
poêle, ajoutez l'huile d'olive et l'ail
haché, laissez revenir 2 minutes
environ avant de verser la chapelure
dans la poêle. Laissez refroidir et
mélangez la chapelure à la menthe
ciselée. Salez et poivrez.

> ### Au dernier moment

Recouvrez les moules de cette
préparation et enfournez 8 à
10 minutes. Servez chaud.

Suggestion
Vous pouvez remplacer la menthe
par un mélange d'herbes
aromatiques classiques.

Saint-Jacques au basilic

{ 24 pièces
5 min de préparation
20 min de cuisson

24 noix de Saint-Jacques
(avec 24 coquilles)
1 bocal de pesto
pignons de pin
huile d'olive
sel, poivre

> ### N'oubliez pas de...

Préchauffer le four à 220 °C (th. 7/8).
Coupez les noix de Saint-Jacques
en tranches dans l'épaisseur.
Dans une poêle avec un peu d'huile
d'olive, faites-les revenir 5 minutes.
Faites alors poêler à sec les pignons
de pin quelques minutes jusqu'à
obtenir une jolie couleur.

> ### Au dernier moment

Disposez trois morceaux
de Saint-Jacques dans chacune
des coquilles. Garnissez de pesto,
salez et poivrez. Passez quelques
minutes à four chaud.
Répartissez les pignons sur les noix
de Saint-Jacques. Dégustez chaud.

Suggestion
Demandez au poissonnier d'ouvrir
pour vous les coquilles Saint-Jacques.

uîtres chaudes au foie gras

24 pièces
10 min de préparation sans
l'ouverture des huîtres
15 min de cuisson

2 douzaines d'huîtres
12 tranches fines de bloc de foie gras
1 poignée d'amandes effilées
sel, gros sel, poivre

> **Prêt en un rien de temps, si...**

Vous avez déjà ouvert les huîtres,
et découpé les tranches de foie gras.
Préchauffez le four à 210 °C (th. 7).
Déposez un lit de gros sel sur la
plaque du four. Disposez les huîtres,
garnissez-les d'une tranche de foie
gras, salez et poivrez.
Faites alors revenir dans une poêle et
à sec les amandes effilées.

> **Au dernier moment**

Enfournez pendant 15 minutes
environ. Avant de servir, recouvrez
les huîtres chaudes d'amandes grillées.

Suggestion
Essayez aussi en remplacant le foie
gras par du jambon de Bayonne
ou du bacon.

Au carpaccio de bœuf

20 pièces
10 min de préparation
20 min de cuisson

10 petites pommes de terre (rattes)
20 tranches de carpaccio de bœuf mariné
1 c. à café de graines de sésame
1 bouquet de coriandre
sel, gros sel, poivre

❯ PRENEZ DE L'AVANCE

Lavez les pommes de terre, puis faites-les
cuire à la vapeur sans les éplucher.
Comptez 20 minutes de cuisson.
Retirez les deux extrémités des pommes
de terre, puis coupez-les en deux.

❯ AU DERNIER MOMENT

Déposez sur chaque morceau de pommes
de terre, une tranche de carpaccio.
Saupoudrez de graines de sésame
et de coriandre ciselée.
Vous pouvez préparer ces petites bouchées à
l'avance, car elles peuvent se déguster froides.

Suggestion
Vous pouvez remplacer le carpaccio de bœuf
par du thon mariné.

Variantes

Au saumon fumé

Découpez 5 tranches de saumon fumé
en 4 lanières.
Déposez sur chaque morceau de pommes
de terre, une lanière de saumon fumé, un peu
de crème fraîche et des œufs de saumon.
Vous pouvez même ajouter un peu
d'aneth ciselé.

Au jambon cru et au fromage

Découpez 50 g de jambon en petits cubes
et 50 g de reblochon en très fines lanières.
Coupez les pommes de terre cuites à l'eau
en deux dans le sens de la longueur.
À l'aide d'une petite cuillère, retirez la chair.
Dans un saladier, mélangez la chair de
pommes de terre, les cubes de jambon
et 1 c. à café de crème fraîche.
Salez et poivrez.
Garnissez les coques de pommes de terre
de ce mélange et déposez une lanière
de fromage sur chacune.
Faites gratiner sous le gril du four.
Servez chaud.

Canapés de guacamole
sur carotte croquante

20 pièces
15 min de préparation
10 min de cuisson

2 ou 3 grosses carottes
2 avocats
1/2 oignon haché
1/2 tomate pelée et concassée
2 c. à café de jus de citron
quelques gouttes de tabasco
1 c. à café d'huile
sel

> Préparez le guacamole

Ouvrez les avocats, prélevez la chair et
réduisez-la en purée à l'aide d'une fourchette.

Dans un saladier, réunissez la purée d'avocat,
l'oignon haché, la tomate pelée et concassée,
le jus de citron, l'huile et les gouttes
de tabasco. Mélangez bien et rectifiez
l'assaisonnement.

> Les carottes

Épluchez les carottes, coupez-les en rondelles
et faites-les cuire dans de l'eau bouillante
salée (attention : les rondelles doivent rester
fermes). Garnissez les rondelles de guacamole
et servez.

Suggestion
Vous gagnerez du temps en utilisant
du guacamole prêt à l'emploi, disponible
au rayon traiteur des grandes surfaces.

Cœurs d'artichauts
à la mousse de cabillaud

20 pièces
10 min de préparation
15 min de cuisson

20 petits cœurs d'artichauts déjà cuits
500 g de filets de cabillaud
50 cl de crème fraîche
1 c. à soupe de jus de citron
sel, poivre

> Se prépare à l'avance

Dans une grande casserole d'eau bouillante
salée, faites cuire les filets de cabillaud
pendant 15 minutes. Égouttez-les et passez-les
au mixeur. Salez et poivrez.
Mélangez-les à la crème fraîche
et au jus de citron.

> Au dernier moment

Garnissez les cœurs d'artichauts
de ce mélange. Mettez au frais si vous ne
servez pas tout de suite.

Suggestion
Utilisez des cœurs d'artichauts surgelés
et faites-les cuire suivant les indications
imprimées sur le paquet.

Concombre croquant au crabe

{ 24 pièces
30 min de préparation

4 concombres
250 g de chair de crabe
150 g de mayonnaise
3 c. à soupe de jus de citron
1 bouquet de menthe hachée
quelques gouttes de tabasco
sel, poivre

› APPRÊTER LES CONCOMBRES

Lavez les concombres. Épluchez-les
en laissant une bande de vert sur
deux. Découpez des tranches d'1 cm
d'épaisseur, saupoudrez-les de sel
et faites-les dégorger sur du papier
absorbant. Comptez 30 minutes
environ.

› PENDANT CE TEMPS

Réunissez dans un saladier la chair
de crabe, la mayonnaise, le jus
de citron, la menthe hachée
et le tabasco. Mélangez, rectifiez
l'assaisonnement et garnissez
les tranches.

Suggestion
Décorez avec de la menthe ciselée.
Pensez à utiliser des mini-concombres
si vous en trouvez car les bouchées
plus petites se dégustent plus
facilement encore.

Tomates cerises farcies

{ 24 pièces
15 min de préparation

24 tomates cerises
1 c. à soupe de basilic haché
50 g de feta
1 c. à café de crème fraîche
pignons de pin
sel, poivre

› LES TOMATES...

Prélevez le chapeau de chacune
des tomates. Évidez-les.

› GARNITURE

Dans une assiette creuse, rassemble
la feta, le basilic, la crème fraîche
et mélangez bien. Salez et poivrez.

Garnissez les tomates de ce
mélange, disposez les pignons de pi
et recouvrez avec les chapeaux.

Suggestion
Vous pouvez remplacer la feta par
du fromage frais du type Saint-Mor
Dans ce cas, n'utilisez pas de crème
fraîche.

Endives au bleu à grignoter

24 bouchées
15 min de préparation

24 belles feuilles d'endives
1/2 pomme
quelques amandes effilées
100 g de fromage à pâte persillée
au choix (bleu, fourme d'Ambert...)
50 g de crème fraîche

> À PRÉPARER À L'AVANCE

Pelez la moitié de pomme.
Découpez-la en tout petits cubes.
Dans une assiette creuse, mélangez
à la fourchette le fromage et la crème
fraîche jusqu'à obtenir un mélange
homogène. Incorporez alors
les morceaux de pommes.

> AU DERNIER MOMENT

Garnissez de ce mélange les feuilles
d'endives et déposez dessus
les amandes effilées.

Suggestion
Vous pouvez remplacer la moitié
de pomme par une demi-poire.

Sauce au bleu

1 bol
15 min de préparation

125 g de stilton
50 g de fromage blanc
50 g de crème fraîche
1 oignon finement émincé
sel, poivre

> ### À FAIRE À L'AVANCE

À la fourchette, écrasez le stilton dans une assiette creuse, puis incorporez le fromage blanc, la crème fraîche et l'oignon émincé. Rectifiez l'assaisonnement. Versez le mélange dans un bol et servez froid avec des chips mexicaines au fromage.

Suggestion
Vous pouvez remplacer le stilton par un autre fromage de type « bleu ».

Sauce au cottage cheese

1 bol
10 min de préparation

200 g de cottage cheese
1 gousse d'ail écrasée
ciboulette ciselée
poivre de Cayenne

> ### UN SIMPLE MÉLANGE

Dans un bol, mélangez tous les ingrédients et servez avec des chips mexicaines.

Guacamole

1 bol
10 min de préparation

3 gros avocats
1 oignon haché
1 tomate pelée et concassée
4 c. à café de jus de citron
quelques gouttes de tabasco
2 c. à café d'huile
sel

> ### AVOCATS BIEN MÛRS

Ouvrez les avocats, prélevez la chair et réduisez-la en purée à l'aide d'une fourchette.

Dans un saladier, réunissez la purée d'avocat, l'oignon haché, la tomate pelée et concassée, le jus de citron, l'huile et les gouttes de tabasco. Mélangez bien et rectifiez l'assaisonnement. Servez dans un bol avec des chips mexicaines.

Suggestion
Gagnez du temps en utilisant du guacamole prêt à l'emploi.

Sauce chili

1 bol
10 min de préparation

Mélangez 200 g de fromage blanc,
1 c. à café de poudre de piment,
1 c. à soupe de Worcestershire Sauce,
du sel, du poivre, de la ciboulette
et 1 c. à café de poudre de curry.

Concombre et sauce forte moutarde-curry

pour 1 bol de sauce
15 min de préparation

4 concombres
125 g de fromage blanc
1 c. à soupe de curry en poudre
1 c. à café de moutarde
sel, poivre

> À L'AVANCE

Épluchez le concombre et coupez-le en petits bâtonnets. Dans un bol, réunissez tous les autres ingrédients, mélangez, rectifiez l'assaisonnement. Servez.

Mayonnaise à la tomate

pour 1 bol de mayonnaise
20 min de préparation

quelques carottes
1 jaune d'œuf
1 c. à café de moutarde
25 cl d'huile
2 c. à café de jus de citron
1 c. à soupe de concentré de tomate
1 bouquet de basilic
sel, poivre

> RIEN DE PLUS SIMPLE

Attention, le jaune d'œuf doit être à la même température que l'huile. Versez-le dans un bol. Mélangez-le à la moutarde. Assaisonnez, puis incorporez l'huile en mince filet en fouettant vigoureusement (vous pouvez utiliser un fouet électrique). Ajoutez alors le jus de citron, puis le concentré de tomate et le basilic ciselé. Servez avec des bâtons de carotte.

Têtes de chou en sauce tartare

pour 1 bol de sauce
10 min de préparation
10 min de cuisson

1 chou-fleur
1 jaune d'œuf cuit
1 c. à café de moutarde
25 cl d'huile
1/2 citron
1 bouquet de ciboulette
1 petit oignon
sel, poivre

> À L'AVANCE

Épluchez le chou-fleur et détaillez-le en petits bouquets. Plongez-les 10 minutes environ dans de l'eau bouillante salée. Égouttez-les.

> PENDANT CE TEMPS

Écrasez le jaune d'œuf à la fourchette. Mélangez-le à la moutarde. Assaisonnez de sel et de poivre, puis incorporez l'huile en mince filet en fouettant vigoureusement (vous pouvez utiliser un fouet électrique). Ajoutez alors le jus de citron, puis la ciboulette ciselée et l'oignon haché. Rectifiez l'assaisonnement avant de déguster cette sauce en y trempant les têtes de chou-fleur.

Rouleaux

15 min de préparation
15 min de cuisson
matériel : une natte en bambou

300 g de riz vinaigré (voir cuisson page 40)
1 avocat
4 bâtons de surimi
1/2 concombre
1 petite boîte d'œufs de saumon
sauce soja
wasabi
feuille d'algue nori

> MATÉRIEL INDISPENSABLE !

Disposez une feuille d'algue nori sur la natte
en bambou. Recouvrez de riz vinaigré, étalez
un peu de wasabi (moutarde japonaise) et
garnissez soit de lamelles d'avocat, soit de
bâtonnets de surimi ou encore de bâtonnets
de concombre et d'œufs de saumon.

> TOUT EST DANS LE GESTE

Roulez la natte, coupez le rouleau en
petites bouchées et renouvelez l'opération
jusqu'à épuisement des ingrédients.

Suggestion
Vous pouvez simplifier cette recette en
utilisant en lieu et place du riz vinaigré, du riz
gluant (en vente dans les épiceries
asiatiques), cuit dans deux fois son volume
d'eau salée. Vous pouvez également
remplacer le wasabi par de la mayonnaise.

Variantes

Aux carottes

Dépliez la feuille d'algue sur la natte
en bambou. Garnissez d'une couche de riz
vinaigré (ou de riz gluant).
Étalez une couche de mayonnaise et déposez
des bâtonnets de carotte, préalablement cuits
(quelques minutes seulement) dans de l'eau
bouillante salée.
Roulez la natte et découpez le rouleau
en petites bouchées.

Au poulet

Faites cuire une escalope de poulet dans
de l'eau bouillante salée (vous pouvez ajouter
à la cuisson, un bouillon cube).
Découpez-la en fines lanières.
Préparez alors la feuille d'algue sur
la natte, étalez le riz, garnissez de wasabi
(ou de mayonnaise, ou de moutarde
« à l'ancienne ») et déposez les lanières
de poulet.
Formez le rouleau et découpez des bouchées
à l'aide d'un couteau bien aiguisé.

Sushis

Pour 20 sushis
5 min de préparation
15 min de cuisson

150 g de riz rond japonais
25 cl d'eau
2 c. à soupe de vinaigre de riz
1 c. à café de mirin
2 c. à café de sucre
2 c. à café de sel
2 tranches de saumon fumé, coupées en lamelles
ciboulette ciselée
graines de sésame
75 g de thon en boîte
mayonnaise
wasabi
sauce soja

> L'ÉTAPE DU RIZ

Rincez le riz plusieurs fois dans de l'eau claire.
Rassemblez l'eau, le vinaigre de riz, le mirin,
le sucre et le sel et le riz dans une casserole.
Portez à ébullition puis baissez le feu.
Laissez cuire 15 minutes environ.
Laissez refroidir.

> LA MISE EN FORME

Prélevez une petite boule de riz et façonnez-
la en forme de rectangle avec vos doigts.
Recouvrez ces petits rectangles de tranches
de saumon, de ciboulette et de sésame ou
de thon en boîte mélangé à de la mayonnaise.
Dégustez avec de la sauce soja et du wasabi.

Suggestion
Vous pouvez simplifier cette recette en
utilisant en lieu et place du riz vinaigré,
du riz gluant (en vente dans les épiceries
asiatiques), cuit dans deux fois son volume
d'eau salée.

Variantes

Au jambon cru

Préparez le riz vinaigré, comme indiqué
précédemment (ou utilisez du riz gluant).
D'une main habile, formez de jolis rectangles
et recouvrez-les d'une lamelle de jambon cru.
Décorez de basilic ciselé.

Aux œufs de lump

Façonnez le riz (vinaigré ou gluant) d'un tour
de main en lui donnant la forme voulue, puis
garnissez chaque bouchée d'œufs de lump.
Utilisez de préférence des œufs rouges
et noirs, de façon à alterner les couleurs.

Sushis sucrés

Faites cuire le riz gluant dans 2 fois son
volume de lait (sucrez à votre goût, avec
du sucre vanillé, ou du miel d'acacia).
Laissez refroidir, façonnez des bouchées et
recouvrez-les de lamelles de fruits de saison
(fraises, pêches, pommes, poires, abricots…)
ou exotiques (mangues, bananes, etc.).

Mini-bagnat

8 petits sandwichs
15 min de préparation

8 petits pains
2 douzaines de tomates cerises
8 filets d'anchois dessalés
1 oignon finement émincé
1/2 poivron vert découpé en lanières
8 petites olives noires niçoises
huile d'olive
sel, poivre

> **N'ouvrez pas les petits pains en entier**

Ouvrez par un seul côté les petits pains
et imbibez l'intérieur d'huile d'olive.
Découpez les tomates cerises en quatre
et les filets d'anchois en deux.
Garnissez les sandwichs jusqu'à épuisement
des ingrédients, salez très légèrement, poivrez
et servez.

Variantes

Mini-burger

Dans une assiette creuse, mélangez 100 g
de bœuf haché et l'oignon émincé.
À la main, formez 8 mini-hamburgers très fins
et faites-les cuire dans une poêle à
revêtement antiadhésif.
Faites toaster les petits pains puis ouvrez-les
et garnissez-les de ketchup, de viande,
de cornichons émincés, de feuilles de laitue,
de concombre et de tomates cerises.
Servez tiède.

Mini-hot-dog

Dans une poêle et dans l'huile d'olive, faites
revenir 1 oignon émincé à feu doux pendant
10 minutes. Surveillez la cuisson.
Faites cuire 16 saucisses cocktail.
Toastez les petits pains à moitié ouvert au
grille-pain. Tartinez-les de savora, garnissez
de fondue d'oignon et déposez les saucisses.

Pain surprise

entre 50 et 60 sandwichs
20 min de préparation
10 min de cuisson

1 gros pain rond déjà tranché, mais non garni
(précisez au boulanger que c'est pour faire
un pain surprise)
4 fines tranches de jambon cru
2 c. à soupe de cerneaux de noix concassés
150 g de fourme d'Ambert
2 c. à soupe de crème fraîche
150 g de saumon frais
50 g de lanières de saumon fumé
jus d'1/2 citron
1 c. à soupe de beurre salé
sel, poivre

AVANT DE FAIRE LES SANDWICHS...

Il va falloir préparer les garnitures…

CRÈME AU BLEU ET AUX NOIX

Dans une assiette creuse, mélangez
à la fourchette la fourme d'Ambert, la crème
fraîche et les cerneaux de noix. Réservez.

RILLETTES AUX DEUX SAUMONS

Faites pocher dans l'eau bouillante salée
les filets de saumon frais pendant 10 minutes
environ. Égouttez et laissez refroidir.
Émiettez la chair et mixez-la avec le beurre
et le jus de citron. Ajoutez alors les lanières
de saumon et rectifiez l'assaisonnement.

ACTION !

Sortez toutes les tranches de pain,
garnissez-les en alternant les préparations :
tartinez le premier de beurre et déposez
les tranches de jambon. Recouvrez-le.
Tartinez le deuxième de préparation
au fromage. Le troisième de rillettes aux deux
saumons, recouvrez-le.
Renouvelez l'opération jusqu'à épuisement
des ingrédients.

Variantes

À VOUS DE CHOISIR :

• bacon + tomate + laitue + mayonnaise
• chair de crabe + pamplemousse
• tranches de chorizo + fromage
• avocat + crevettes
• mozzarella + tomates

À la fourme de Montbrison

20 pièces
10 min de préparation
20 min de cuisson

1 rouleau de pâte feuilletée
250 g de fourme de Montbrison
2 poires

❯ À L'AVANCE : CUISSON À BLANC

Préchauffez le four à 210 °C (th. 7) pendant 20 minutes. Déroulez la pâte feuilletée et avec un emporte-pièce ou un couteau, découpez une vingtaine de fonds de pâte carrés. Piquez-les à la fourchette, déposez-les sur la plaque du four recouverte de papier sulfurisé. Couvrez-les d'une deuxième feuille de papier sulfurisé puis de légumes secs.
Enfournez pour 15 à 20 minutes.

❯ PENDANT CE TEMPS

Émiettez le fromage et coupez les poires en très fines lamelles. Sortez les fonds de tarte du four.

❯ AU DERNIER MOMENT

Garnissez chacun d'entre eux de fourme de Montbrison. Faites-les gratiner sous le gril pour fondre le fromage. Puis déposez sur le dessus des tartes un peu de poire.

Suggestion
Vous pouvez remplacer la fourme de Montbrison par de la fourme d'Ambert.

Aux pommes, aux Saint-Jacques et au curry

20 pièces
10 min de préparation
20 min de cuisson

1 rouleau de pâte brisée
2 pommes
2 douzaines de noix de Saint-Jacques
curry
beurre
sel

❯ PRENEZ DE L'AVANCE

Préchauffez le four à 210 °C (th. 7). Découpez les fonds de tarte dans la pâte. Piquez-les à la fourchette, déposez-les sur la plaque du four recouverte de papier sulfurisé, couvrez d'une deuxième feuille puis de légumes secs.
Mettez 15 à 20 minutes au four.

❯ PENDANT CE TEMPS

Pelez les pommes et coupez-les en tranches très fines. Escalopez les Saint-Jacques en trois dans l'épaisseur et faites-les poêler dans du beurre. Salez en fin de cuisson. Sortez du four les fonds de tarte.

❯ AU DERNIER MOMENT

Garnissez-les d'une rondelle de pomme, d'une tranche de Saint-Jacques poêlées et saupoudrez de curry. Réchauffez au four quelques instants.

Suggestion
Vous pouvez utiliser des noix de Saint-Jacques surgelées.

ux tomates
au chèvre frais

{
20 pièces
10 min de préparation
25 min de cuisson
}

1 rouleau de pâte brisée
10 tomates cerises
100 g de fromage de chèvre frais
1 bouquet de menthe fraîche ciselée
10 cl de crème liquide
sel, poivre

❯ Cuisson à blanc

Préchauffez le four à 210 °C (th. 7)
pendant 20 minutes environ.
Déroulez la pâte et, à l'aide d'un
emporte-pièce ou d'un couteau,
découpez une vingtaine de fonds
de tarte. Piquez-les à la fourchette,
déposez-les sur la plaque du four
recouverte de papier sulfurisé.
Recouvrez d'une deuxième feuille de
papier sulfurisé, puis de légumes secs.
Enfournez 15 à 20 minutes.

❯ Pendant ce temps

Dans une assiette creuse, mélangez
à la fourchette le fromage de chèvre
et la crème fraîche. Salez et poivrez.
Sortez du four les fonds de tarte.

❯ Au dernier moment

Garnissez-les de la préparation au
fromage. Décorez de menthe ciselée
et d'une moitié de tomate cerise.
Mettez au four 10 minutes.

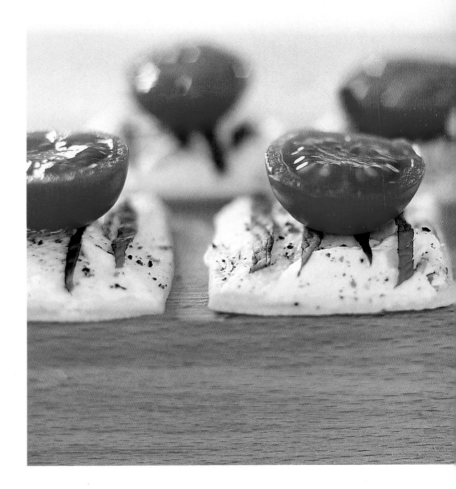

À la crème de roquefort et au comté

> 20 feuilletés
> 10 min de préparation
> 20 min de cuisson

500 g de pâte feuilletée
50 g de crème de roquefort
100 g de comté râpé
1 jaune d'œuf

❯ DÉCOUPAGE ET ASSEMBLAGE

Préchauffez le four à 210 °C (th. 7).
Divisez la pâte feuilletée en deux
parties égales et étalez-les en
rectangles de même taille.
Tartinez l'un des rectangles de crème
de roquefort.
Recouvrez du deuxième rectangle.
Appuyez bien sur la pâte pour faire
adhérer les deux parties.

❯ AVANT DE METTRE AU FOUR

Mélangez le jaune d'œuf et l'eau
et badigeonnez-en la pâte.
Saupoudrez de comté râpé et
découpez en petits rectangles.
Enfournez pour 15 à 20 minutes
environ.

Escargots à la viande des Grisons

> 20 pièces
> 10 min de préparation
> 20 min de cuisson

250 g de pâte feuilletée
3 ou 4 tranches de viande des Grisons
3 ou 4 tranches de fromage à raclette
1 jaune d'œuf

❯ CONFECTION

Préchauffez le four à 210 °C (th. 7).
Étalez la pâte feuilletée en rectangle.
Recouvrez de viande des Grisons
et de fromage, puis roulez la pâte.

❯ LA TOUCHE FINALE

Mélangez le jaune d'œuf avec
un peu d'eau et badigeonnez
le rouleau formé précédemment.
Découpez ce rouleau en une
vingtaine de pièces, déposez ces
escargots sur la plaque du four
recouverte de papier sulfurisé
et enfournez pour 15 à 20 minutes
environ.

ux anchois

{
20 pièces
15 min de préparation
20 min de cuisson
}

2 rouleaux de pâte feuilletée
1 bocal de crème d'anchois
1 jaune d'œuf

> PRÉPARATIFS

Préchauffez le four à 210 °C (th. 7)
pendant 20 minutes environ.

Déroulez le rouleau de pâte et,
à l'aide d'un verre ou d'un emporte-
pièce, découpez une quarantaine
de petits fonds de pâte.

> AU DERNIER MOMENT

À l'aide d'une cuillère à café, déposez
un petit tas d'anchoïade et recouvrez
d'un deuxième fond de pâte.

Mélangez le jaune d'œuf et l'eau
et badigeonnez-en les chaussons.

Enfournez pour 15 à 20 minutes
environ. Servez chaud.

Aux petits pois

20 pièces
10 min de préparation
15 min de cuisson

100 g de petits pois frais
4 œufs
1 verre de lait
huile d'olive
sel, poivre

› À L'AVANCE

Faites cuire les petits pois dans une casserole
d'eau bouillante salée pendant 10 minutes
environ. Égouttez-les.

› PENDANT CE TEMPS

Battez les œufs à la fourchette avec un verre
de lait. Salez et poivrez.
Faites chauffer l'huile dans une poêle
à revêtement antiadhésif.

› LA CUISSON

Faites revenir la moitié des petits pois, puis
versez les œufs battus. Ces derniers doivent
juste recouvrir les petits pois.
Lorsque l'omelette est cuite, retirez-la
et laissez-la refroidir.
Recommencez l'opération avec le reste
des œufs et des petits pois. Découpez les
omelettes en petits carrés et servez froid.

Au poivron

20 pièces
30 min de préparation
15 min de cuisson

1 poivron
4 œufs
1 verre de lait
huile d'olive
sel, poivre

› POUR ENLEVER LA PEAU DU POIVRON

Faites noircir le poivron sous le gril du four.
Lorsque la peau est bien noire, enfermez-le
dans un sac plastique et laissez-le refroidir.
Pelez-le, égrainez-le et découpez-le en
lanières.

› POUR L'OMELETTE

Battez les œufs à la fourchette avec un verre
de lait. Salez et poivrez. Faites chauffer l'huile
dans une poêle à revêtement antiadhésif.
Faites revenir la moitié des lanières de
poivron, puis versez la moitié des œufs battus.
Recommencez l'opération avec le reste
des œufs et du poivron.
Découpez les omelettes en petits carrés
et servez froid.

Agneau au gingembre

20 petites brochettes
60 min de marinade
10 min de préparation
15 min de cuisson

400 g de viande d'agneau taillée en cubes
2 c. à soupe de coriandre ciselée
2 doses de safran
3 c. à soupe de gingembre râpé
1 c. à café de piment
1 zeste de citron
15 cl d'huile d'olive
3 gousses d'ail écrasées
sel

❯ TEMPS DE MARINADE

Dans un saladier, rassemblez tous les éléments
de la marinade : safran, gingembre râpé, zeste
de citron, huile d'olive, gousses d'ail écrasées.
Ajoutez les cubes de viande et laissez mariner
au frais au moins 1 heure.

❯ PENDANT CE TEMPS

Préparez le barbecue, si vous désirez utiliser
ce mode de cuisson. Égouttez les morceaux
de viande, puis enfilez-les sur des piques
en bois.

❯ AU DERNIER MOMENT

Faites-les griller sous toutes leurs faces.
Comptez entre 10 et 15 minutes, suivant
le mode de cuisson choisi. Servez chaud en
décorant de quelques filaments de safran.

Porc à l'aigre-douce

20 petites brochettes
60 min de marinade
10 min de préparation
15 min de cuisson

400 g de viande de porc coupée en cubes
1 verre de lait de coco
15 cl de miel
10 cl de sauce soja
1 c. à soupe de gingembre râpé
1 c. à soupe de coriandre ciselée
sel, poivre

❯ LAISSEZ MARINER...

Dans un saladier, rassemblez le lait
de coco, le miel, la sauce soja,
le gingembre râpé et la coriandre ciselée.
Salez, poivrez et ajoutez les cubes
de porc dans cette marinade.
Laissez mariner 1 heure au moins.

❯ PENDANT CE TEMPS

Préparez le barbecue, si vous désirez utiliser
ce mode de cuisson.
Égouttez les morceaux de viande,
puis enfilez-les sur des piques en bois.

❯ AU DERNIER MOMENT

Faites-les griller sous toutes leurs faces.
Comptez entre 10 et 15 minutes,
suivant le mode de cuisson choisi.
Servez chaud.

Brochettes de gambas au tabasco

20 petites brochettes
1 h de marinade
5 min de préparation
20 min de cuisson

20 gambas
quelques gouttes de tabasco
graines de cumin
10 cl d'huile d'olive
sel, poivre

❯ À L'AVANCE

Dans un plat, déposez les gambas
côte à côte. Versez l'huile d'olive,
le tabasco et les graines de cumin.
Faites mariner 1 heure au moins.

❯ PENDANT CE TEMPS

Préparez le barbecue, si vous désirez
utiliser ce mode de cuisson.
Égouttez les gambas et piquez-les
sur des piques en bois ou des tiges
de citronnelle.

❯ AU DERNIER MOMENT

Faites-les griller de chaque côté.
Comptez entre 5 et 10 minutes
par face, suivant le mode de cuisson
choisi (barbecue, gril électrique,
gril du four, poêle à revêtement
antiadhésif). Servez chaud ou froid.

Noix de Saint-Jacques au bacon

20 brochettes
1 h de marinade
15 min de préparation
15 min de cuisson

20 noix de Saint-Jacques
20 tranches fines de bacon
3 citrons
1 bouquet aromatique
(thym, romarin, laurier, sauge...)
1 branche de basilic ciselé
25 cl d'huile d'olive
sel, poivre

❯ TEMPS DE MARINADE

Dans un saladier, rassemblez le jus
des trois citrons, l'huile d'olive,
le bouquet aromatique, le basilic
ciselé, le sel et le poivre.
Faites-y mariner les noix de
Saint-Jacques pendant 1 heure
au moins.

❯ UNE HEURE PLUS TARD

Égouttez, puis enrobez chaque
noix dans une tranche de bacon,
(maintenez la tranche en place
à l'aide d'une pique en bois).
Faites griller pendant 10 minutes
suivant le mode de cuisson choisi
(barbecue, gril électrique, gril du fo
poêle à revêtement antiadhésif).

Poulet, sauce saté

20 petites brochettes
1 h de marinade
20 min de préparation
25 min de cuisson

400 g de blanc de poulet
4 c. à soupe de sauce de soja
4 c. à soupe de jus de citron vert
100 g de cacahuètes concassées

sauce saté
200 g de cacahuètes salées
3 c. à soupe d'huile d'arachide
2 cm de racine de gingembre râpée
40 cl de lait de coco
3 c. à café de jus de citron
4 c. à soupe de sauce soja
1 c. à soupe de cassonade
1/2 c. à café de poudre de piment

❯ Au moins une heure avant

Découpez les escalopes de poulet
en lanières et déposez-les dans
un plat. Arrosez de sauce de soja et
de jus de citron vert. Laissez mariner.

❯ Pendant ce temps : la sauce saté

Broyez les cacahuètes au mixeur.
Faites revenir 2 minutes dans l'huile
d'arachide les cacahuètes avec
le gingembre râpé. Remuez
constamment. Ajoutez lait de coco,
jus de citron, sauce de soja, cassonade
et piment sans cesser de remuer.
Laissez mijoter sur feu doux pendant
10 minutes, pour faire épaissir.

❯ Sur le gril

Égouttez les morceaux de poulet,
piquez-les sur des brochettes
et roulez-les dans les cacahuètes
concassées. Grillez les brochettes
(au barbecue ou au gril) ou faites-les
revenir de tous côtés dans une poêle.
Servez avec la sauce saté dans
des ramequins.

Magret de canard à l'exotique

{
20 bouchées
1 h de marinade
15 min de préparation
20 min de cuisson

2 magrets de canard dégraissés
15 cl de lait de coco
2 c. à soupe de confiture de mangue
1 bocal de chutney à la mangue
1 citron vert
1 zeste d'orange
1 petit oignon
1 piment rouge
1 gousse d'ail
sel, poivre

⟩ Au moins une heure avant

Découpez les magrets en 20 morceaux de même format. Dans un saladier, rassemblez le lait de coco, la confiture de mangue, le jus du citron vert, le piment émincé, le zeste de l'orange, la gousse d'ail et l'oignon pelé et coupé en morceaux. Salez, poivrez et mélangez bien. Faites mariner les morceaux de magret 1 heure environ dans ce mélange.

⟩ Pensez à...

… allumer le barbecue bien à l'avance pour les braises. Pour une cuisson au gril, chauffer la fonte quelques minutes avant sera suffisant, idem pour le gril du four. Égouttez les morceaux de viande et mettez-les sur des piques.

⟩ Au dernier moment

Faites cuire les brochettes au barbecue, sur un gril, au four ou dans une poêle à revêtement antiadhésif. Surveillez la cuisson, comptez entre 5 et 10 minutes de chaque côté.

Variantes

Avec des fruits

N'hésitez pas à alterner entre les morceaux de canard, des morceaux de fruits (morceaux de mangue bien sûr, mais aussi de pêche, de nectarine, pomme ou d'abricot).
Pour cela, faites mariner les fruits avec le canard avant de les piquer sur les brochettes. Faites-les cuire comme indiqué dans la recette.

À la mangue

Rien ne vous empêche de préparer une sauce pour les brochettes, à base de mangue par exemple : dans un robot, réduisez en purée une petite mangue avec 20 cl de crème liquide. Salez et poivrez.
Réservez au frais avant de servir.

Falafels

> 20 boulettes
> 24 heures de trempage
> 15 min de préparation
> 15 min de cuisson

200 g de pois chiches cuits en boîte
200 g de fèves cuites en boîte
1/2 bouquet de persil ciselé
1/2 bouquet de coriandre ciselée
3 c. à soupe de menthe ciselée
1 oignon
1 gousse d'ail écrasée
1/2 piment rouge écrasé
1 c. à café de levure sèche
2 c. à café de farine
2 c. à café de bicarbonate de soude
huile de friture
2 c. à café de sel

❯ LA VEILLE

Disposez les fèves et les pois chiches dans
deux récipients différents. Recouvrez-les
d'eau, saupoudrez de bicarbonate de soude
(1 cuillère par récipient).

❯ LE JOUR MÊME

Égouttez et rassemblez fèves et pois chiches
dans le bol du mixeur avec le reste
des ingrédients. Le mieux serait d'enlever
la petite peau des fèves et des pois chiches
avant de les mixer. Faites turbiner.

❯ À VOS TABLIERS

Chauffez l'huile de friture et formez
de petites boulettes, faites-les frire
1 à 2 minutes dans l'huile chaude
et égouttez-les sur du papier absorbant.
Dégustez chaud. Pour les réchauffer,
passez-les au four traditionnel ou
au micro-ondes.

Variantes

Aux crevettes

❯ À L'AVANCE

Dans une casserole, faites fondre 40 g de
beurre, ajoutez 120 g de farine petit à petit
en mélangeant délicatement à l'aide d'une
cuillère en bois. Incorporez alors lentement
60 cl de lait, sans cesser de remuer.
Dans un saladier, mélangez 150 g de chair
de crevettes avec un jaune d'œuf et 150 g
de cheddar râpé. Salez et poivrez, puis
incorporez à la béchamel et laissez refroidir.

❯ AU DERNIER MOMENT

Modelez une vingtaine de boulettes environ.
Faites chauffer l'huile de friture. Trempez ces
boulettes dans l'œuf battu puis passez-les
dans la chapelure et faites-les frire 3 minutes.
Épongez-les sur du papier absorbant. Servez
chaud. Vous pourrez les réchauffer au four.

Au poulet

❯ À L'AVANCE

Mixer tous les ingrédients suivants : 2 c. à
soupe d'huile d'arachide, 1 échalote pelée et
émincée, 2 gousses d'ail pelées, 1 petit piment
émincé, 3 cm de racine de gingembre pelé et
râpé, 2 c. à café de coriandre fraîche ciselée,
1 c. à café de nuoc mam. Ajoutez 125 g
de poudre de noix de coco et 500 g
de poulet cru et mixez à nouveau.

❯ JUSTE AVANT LA CUISSON

Formez des boulettes. Faites-les griller sous le
gril du four (ou dans une poêle à revêtement
antiadhésif) pendant 15 à 20 minutes environ
sous toutes leurs faces. Servez chaud.

Torsades feuilletées

20 pièces
15 min de préparation
10 min de cuisson

2 rouleaux de pâte feuilletée
1 c. à soupe de graines de sésame
1 c. à soupe de graines de pavot
1 poignée de fromage râpé
1 c. à soupe d'origan
1 c. à soupe de thym
1 jaune d'œuf
sel, poivre

❯ PRÊT EN UN RIEN DE TEMPS

Préchauffez le four à 180 °C (th. 6).
Déroulez la pâte feuilletée. Dans un bol,
mélangez le jaune d'œuf avec un peu d'eau.
À l'aide d'un pinceau, badigeonnez-en la pâte.
Saupoudrez de sésame, de pavot, de fromage
râpé, d'origan ou de thym.

❯ TOUR DE MAIN

D'une main légère, passez le rouleau à
pâtisserie et découpez des bandes de pâtes
de 1 à 2 centimètres de largeur.
Torsadez-les et déposez-les sur la plaque
du four recouverte de papier sulfurisé.
Enfournez 10 minutes jusqu'à obtenir une
jolie couleur dorée.
À déguster chaud ou froid.

Variantes

Au jambon blanc

Hachez le jambon blanc. Étalez la pâte
feuilletée, et badigeonnez-la d'un mélange
de jaune d'œuf et d'eau. Saupoudrez de
jambon. Salez et poivrez. Ajoutez des herbes
séchées si vous le désirez (thym, basilic,
origan) et passez le rouleau à pâtisserie
légèrement, de façon à faire adhérer
les ingrédients à la pâte.
Découpez, torsadez et enfournez.

Aux fruits secs

Dans le mixeur, concassez grossièrement,
amandes, noisettes ou cacahuètes.
Étalez la pâte feuilletée, badigeonnez-la
de jaune d'œuf et d'eau et étalez les fruits
secs concassés. Salez et poivrez.
Passez le rouleau à pâtisserie, préparez
les torsades et glissez au four.

À la mode de Sichuan

Concassez une poignée de grains de poivre
du Sichuan. Saupoudrez sur la pâte feuilletée
préalablement badigeonnée de jaune d'œuf.
Salez. D'une main légère, passez le rouleau
à pâtisserie avant de façonner les torsades
et de les mettre à cuire.

Amandes au paprika

8 personnes
5 min de préparation
5 min de cuisson

250 g d'amandes entières
paprika
sel

> ### PRÉPARATION ULTRA-SIMPLE

Faites griller à sec (sans matière grasse)
les amandes dans une poêle à revêtement
antiadhésif avec le paprika. Remuez à l'aide
d'une cuillère en bois. Cessez lorsque
la couleur vous paraît belle.
Déposez alors les amandes dans une assiette
creuse et salez.

Cacahuètes aux cinq-épices

8 personnes
5 min de préparation
5 min de cuisson

250 g de cacahuètes entières
cinq-épices
sel

> ### GRILLÉES À SEC

Faites griller à sec (sans matière grasse)
les cacahuètes saupoudrées de cinq-épices
dans une poêle à revêtement antiadhésif.
Remuez à l'aide d'une cuillère en bois.
Cessez lorsque la couleur vous paraît belle.
Déposez alors les cacahuètes dans une
assiette creuse et salez. Présentez-les dans
de petits cônes en papier.

Noisettes à la cannelle

8 personnes
5 min de préparation
5 min de cuisson

250 g de noisettes
cannelle
sel

> ### EFFET GARANTI

Faites griller à sec (sans matière grasse)
les noisettes dans une poêle à revêtement
antiadhésif avec de la cannelle. Remuez à
l'aide d'une cuillère en bois. Cessez lorsque
la couleur vous paraît belle. Déposez alors
les noisettes dans une assiette creuse et salez.
Présentez-les dans de petits cônes en papier.

Variantes

Vous pouvez faire la même chose avec
des noix de macadamia, de pécan, etc.,
et des épices ou des aromates. Soyez inventif :
curry, cardamome, graines de sésame,
gingembre, etc.

Aneth : utilisé à la fois dans les pays du Maghreb et les pays scandinaves, l'aneth est également appelé faux anis. Ses feuilles doivent être utilisées fraîches et se marient parfaitement à la saveur de certains poissons, le saumon notamment.

Baies roses : également appelées poivre rose ou poivre d'Amérique, ces baies sont cependant sans parenté avec le poivrier. Très décoratives, elles sont également aromatiques et peu piquantes.

Bicarbonate de soude : multi-usage, le bicarbonate améliore la digestion, blanchit les dents. En cuisine, il fait monter les pâtisseries et permet aux légumes verts de garder leur jolie couleur.

Chorizo : cette spécialité espagnole désigne une saucisse à base de porc ou de bœuf le plus souvent. Très assaisonné, le chorizo se déguste sec (tel quel) ou frais (dans une omelette ou une paella).

Chutney : ce condiment est un pionnier de la *fusion food*, puisqu'il est le fruit des traditions gastronomiques indienne et britannique. Il s'agit de fruits ou de légumes (le plus souvent exotiques) cuits dans du vinaigre, du sucre et des épices. Le chutney a la consistance d'une confiture.

Cinq-épices : typiquement chinois (on l'appelle aussi cinq-parfums), ce mélange est composé d'anis étoilé, de fenouil, de clous de girofle, de cannelle et de poivre du Sichuan.

Coppa : cette charcuterie italienne est préparée à base d'échine de porc salée et marinée dans du vin rouge à l'ail.

Coriandre : l'autre nom de la coriandre, c'est le persil arabe (ou chinois d'ailleurs). De cette plante aromatique, on utilise aussi bien les feuilles fraîches que les graines. Très présente dans la cuisine du Maghreb, elle agrémente aussi la cuisine thaïlandaise, par exemple.

Feta : fabriquée à partir de lait de brebis (ou de chèvre), la feta est le fromage grec par excellence. Délicieux en salade, il est également utilisé pour farcir les aubergines.

Feuilles de brik : le brik est une crêpe d'origine tunisienne, qui se déguste farcie, puis frite dans une poêle.

Fourme de Montbrison : fromage à pâte persillée, produit dans le Forez, dont la consistance est onctueuse et la saveur noisetée.

Gingembre : du gingembre, on ne consomme que le tubercule à la saveur poivrée et citronnée. Utilisé râpé, on le trouve frais, surtout dans les épiceries exotiques.

Gorgonzola : ce fromage italien est l'une des pâtes persillées les plus célèbres. Sa saveur est relevée et légèrement piquante.

Graines de pavot : très présentes dans les cuisines d'Europe centrale, les graines de pavot garnissent certaines pâtisseries. Assez décoratives, elles sont aussi utilisées pour rendre jolis les petits pains. Les graines de pavot sont disponibles dans les épiceries fines ou les épiceries bio.

Graines de sésame : des graines de sésame, on tire une huile alimentaire. Mais les graines de sésame peuvent aussi être consommées fraîches ou grillées. Elles interviennent dans certaines cuisines, mais chez nous, elles sont souvent utilisées pour décorer des plats. Elles sont vendues dans les épiceries fines et bio.

Lait de coco : très utilisé dans la cuisine thaïlandaise (notamment dans certains currys), le lait de coco est vendu en boîte dans les rayons exotiques des grandes surfaces.

Mirin : le mirin est un vin de riz sucré, utilisé dans la préparation de sushis. Il est vendu dans les épiceries exotiques et japonaises.

Ossau-iraty : ce fromage de brebis est fabriqué dans les Pyrénées. Il bénéficie d'une AOC, sa consistance est souple et assez dure.

Parmesan : de son vrai nom parmigiano reggiano, ce fromage italien est dur et granuleux. Sa saveur fruitée est un vrai délice. Il se déguste le plus souvent râpé.

Poivre du Sichuan : ce « poivre » qui n'en est pas un (les baies sont en réalité les fruits d'un frêne épineux) vient de la province du Sichuan (Chine). Ses baies se consomment séchées et leur saveur est piquante et florale en fin de bouche.

Sauce de soja : désormais disponible dans la plupart des supermarchés, la sauce de soja est très utilisée comme assaisonnement, dans les cuisines asiatique et notamment japonaise.

Stilton : le stilton est un fromage à pâte persillée. Issu de lait de vache, sa saveur est crémeuse et puissante.

Tapenade : la tapenade est une spécialité provençale à base d'olives et parfois d'anchois. En vente au rayon traiteur des grandes surfaces.

Viande des Grisons : c'est une viande de bœuf salée et séchée qui tire son nom du canton des Grisons (en Suisse) où elle est fabriquée.

Wasabi : condiment japonais de couleur verte, fabriqué comme notre raifort, à partir d'une racine.

Shopping : Emery & Cie…

© Marabout 2001
texte © Thierry Roussillon
photographies © Akiko Ida

ISBN : 2501036719
Dépôt légal : n°14787 / Octobre 2001

Imprimé en Italie par Milanostampa